SANEAMENTO NACIONAL

Adriano Moreira

SANEAMENTO NACIONAL

Saneamento Nacional

© Adriano Moreira
EDIÇÃO: Almedina
REVISÃO: Maria Madalena Requixa
DESIGN: FBA.
FOTO DA CONTRACAPA GENTILMENTE CEDIDA POR ALFREDO CUNHA
IMPRESSÃO E ACABAMENTO: Gráfica de Coimbra
DEPÓSITO LEGAL: 302356/09
ISBN: 978-972-40-4058-5
DATA: Novembro de 2009

BIBLIOTECA NACIONAL DE PORTUGAL
CATALOGAÇÃO NA PUBLICAÇÃO

MOREIRA, Adriano, 1922-
Saneamento Nacional
ISBN: 978-972-40-4058-5
CDU 32
    94(469)

*À memória de Bartolomeu Dias,
um grande marinheiro
que morreu tentando*

= PREFÁCIO

Este texto, publicado com o título de *Saneamento Nacional*, foi escrito em resposta ao questionário ligeiro dos novos responsáveis pelo Ministério da Educação depois da Revolução de 1974.

Era ligeiro pela submissão dos inquiridores às urgências do clima social e político que dominava o ambiente, era ligeiro pela ignorância sobre as realidades que abordaram com ignorância excessiva, era ligeiro pela segurança com que por vezes consideraram fulminantes as transformações dos motivos que sempre animaram o Parlamento dos Murmúrios, na tradição mais documentada da vida política portuguesa, em indesmentíveis factos.

Julgo ter respondido com rigor, e também aspereza merecida, às leviandades que, vindas do ambiente, encontravam acolhimento amável nas hierarquias que apressadamente assumiram os vazios do poder, mais rapidamente do que procuravam o conhecimento indispensável, sempre com maior alarme do que o que lhes era suscitado pelas áreas mais próximas do risco para os interesses permanentes do país e da comunidade dos portugueses dispersos pelos territórios coloniais de onde retirava a soberania em ritmo de desastre.

Esta circunstância avultava mais nas inquietações cívicas de quem tinha conhecimento e sentido das realidades que tornaram amarga a situação dos portugueses obrigados a abandonar os lugares, perdendo sonhos, esperanças, narrativas de vida, patrimónios, e vendo destruídos os laços das solidariedades com as terras e as gentes, chamadas estas a partilhar o ideal libertador da descolonização.

De facto não se tratou de nenhum projecto de descolonização, tratou-se apenas de colocar um ponto final no empenhamento militar, que foi longo sem que o tempo dispendido tivesse visto aparecer uma solução política.

Sendo exacto que foi essa a missão assinada ao aparelho militar, sem que tal solução política viesse durante esse longo tempo a ser encontrada, também é evidente que a descolonização, semântica com que foi coberto o anárquico processo que se desenvolveu em todos os territórios, não obedeceu à definição internacional da ONU, porque tudo foi deixado à mercê das múltiplas formas de intervenção externas em busca de impor as hegemonias nos lugares de onde retirou a soberania, de tal modo que as guerras internas de luta pelo poder duraram mais anos, e tiveram maiores custos humanos e materiais do que a resistência armada que findou.

Que esta realidade fosse assumida na metrópole para a qual regressaram os exércitos, e na sua esteira os depois chamados retornados, foi um facto que exigiu tempo, exigiu clarificação do ambiente ideológico, exigiu o esforço, com pesados custos, que reorganizou o civismo, exigiu a emergência de lideranças jovens com inteligência e consciência livres dos constrangimentos dos desastres semeados, iniciando a narrativa dos novos tempos que tiveram a sua referência temporal na adesão à Europa.

Foi sobre a urgência desse regresso ao sentido de Estado, ao dever de substituir a teatrologia ideológica pela governança e pela intendência, de pôr os competentes no exercício das responsabilidades, tudo em busca de um novo conceito estratégico nacional, que versaram as palavras amargas deste texto.

Nesta data, apaziguadas as memórias, as exigências são outras, mas também são de novo inquietantes as incertezas que desafiam as vontades e a criatividade das novas gerações, para as quais aquele passado é distante, e para os quais o futuro é urgente.

Adriano Moreira

= MENSAGEM À MARINHA DE GUERRA
Senhores Oficiais dos Cursos no Instituto Superior Naval de Guerra:

1. TERIA PREFERIDO que as respostas dadas ao questionário que me foi enviado pela Comissão de Saneamento implantada pela Revolução lidassem apenas com problemas de interesse público. Mas as perguntas sendo as que os estadistas responsáveis fizeram, a outra alternativa seria não responder. Também me ocorreu, mas não me pareceu o indicado. Decidi anteceder os textos das acusações e das respostas de alguns comentários, tudo dirigido aos meus alunos do Instituto Superior Naval de Guerra, último lugar onde exerci uma função pública. Trata-se de continuar um interrompido diálogo que durou anos, e no qual nunca foi omitido qualquer aspecto na conjuntura portuguesa. Todos eles, no activo ou expulsos, entenderão porque é que estas palavras lhes são dirigidas. Outras pessoas é natural que não compreendam, mas isso não tem importância.

2. Os documentos em causa são peças de um processo de saneamento que a Revolução de 25 de Abril empreendeu à luz da legitimidade que pertence aos vencedores, e que também lhes permite decretarem a quem é que venceram. Acontece que, como ensinou Antígona, há um ponto de vista acima e fora do alcance do Poder, que habilita todos e cada um a julgar a gestão de quem manda. E neste caso, usando a franqueza e terminologia de Frei Bartolomeu dos Mártires,

parece indubitável que é o aparelho político instalado pela Revolução de 25 de Abril que está necessitado de um eminentíssimo e reverendíssimo saneamento.

Trata-se, em primeiro lugar, do ufanismo e triunfalismo de alguns revolucionários. Não tem que ver com a motivação abundante para a revolta, porque essa esgotou-se no momento da vitória. Mas o pacifismo com que o Movimento assumiu o completo domínio do Estado, em poucas horas, demonstra suficientemente que o risco por alguns suposto não existia, e que o ambiente nacional e internacional não esperava por outra coisa. O aparelho político expulso pareceu até aliviado. Este facto não diminui as responsabilidades assumidas. O que implica é que todos os revolucionários militares assumam a linha de modéstia exigida pela facilidade e pelas consequências da intervenção.

Também é útil esclarecer que o Movimento não foi uma decisão arbitral das Forças Armadas, a qual estaria na tradição, duvidosa embora, de um suposto poder moderador. Este, nos países onde existiu e foi exercido, traduziu-se sempre num julgamento feito pela Instituição Militar sobre a conjuntura, e numa intervenção disciplinada para repor a autenticidade da vida pública. Aqui, o que houve foi um Movimento que assumiu o controlo da Instituição Militar, a qual deste modo ficou fora do jogo político, foi saneada como qualquer serviço público, e não teve intervenção institucional. Por isso, a responsabilidade do Movimento não é a mesma coisa que a responsabilidade e função das Forças Armadas. Agora, trata-se apenas do Movimento e das consequências da política que impôs ao País.

3. A mais óbvia das consequências que se seguiram, é que Portugal é hoje, em termos geopolíticos, um País muito pequeno. Restam 92 mil km^2 para governar, com separatismos latentes. De treze fronteiras físicas que tínhamos, só ficou uma que é a Espanha. Esta evidência não implica por si nenhum julgamento sobre se poderia ser de outro modo. Mas é um facto. E conviria não o omitir. Não existe hoje qualquer decisão política internacional em curso que necessite do acordo português, salvo por cortesia. E, todavia, o 25 de Abril foi, depois da Paz de 1945, o acontecimento político de consequências mais importantes para a nova definição política do Planeta. Que os revolucionários todos o soubessem, ou que todos o presumissem, é discutível. Mas é indubitável que o punho que, sem necessidade de muita força, bateu em Lisboa, abriu definitivamente a rota do Índico e do Atlântico Sul ao poderio naval soviético. Na estratégia mundial, foi objectivamente genial. E pode supor-se que o foi subjectivamente, porque também há por esse mundo centros inteligentes de comando político. Poucos outros exemplos, se algum, poderão ser dados de uma tal economia de meios em função do resultado. Umas escassas centenas de homens, de nacionalidade diferente das grandes potências interessadas, sem dar um tiro, arruinaram os planos dos Estados Maiores dos Exércitos mais poderosos do mundo e favoreceram de maneira prodigiosa um dos contendores que é a

URSS. Que a demonstrada actual incapacidade dos EUA, aliado inseguro em busca de coerência e de credibilidade, lho fizessem merecer, é outra questão. Mas havia a comunidade internacional. Ora, é certo que não constitui qualquer novidade, não se trata de uma revelação feita pelas consequências, saber que a retirada do poder político português das suas posições ultramarinas, implicaria um imediato preenchimento do vazio por um dos poderes mundiais em competição. Qualquer oficial medianamente informado estava consciente desta circunstância. Realmente, todos o sabiam e nenhum político o ignorava. Decididos a calar as armas perante os movimentos nacionalistas dos vários territórios, não podiam ignorar que a comunidade internacional era o terceiro interlocutor, em vista dos interesses em jogo. Esta é a outra coisa, pela qual de quando em vez perguntam, e que devia ter sido feita. Com finalidade contrária à do expulso regime, também os revolucionários preferiram agir orgulhosamente sós.

Por isso, a análise do processo das decisões revolucionárias mostra algumas originalidades que não são as que o ufanismo corrente costuma salientar.

Assim, não houve qualquer Revolução no passado, que renunciasse, sem negociação de contrapartidas, a interesses estaduais. A Revolução Americana, a Revolução Francesa, a Revolução Soviética, as Revoluções Neutralistas, todas e cada uma começaram por reter as posições herdadas. Nenhuma delas enjeitou um só elemento do património estadual assumido. Quando não puderam conservar, negociaram. Tinham princípios, mas também tinham uma ordem de batalha. Tiveram revolucionários, mas entre eles estavam os estadistas. No caso do Movimento, as posições abandonadas e cobiçadíssimas foram todas fortalecer o expansionismo de estranhos, sem contrapartida. Nem ordem de batalha, nem negociações, nem assessoramento da comunidade internacional, a favor dos interesses portugueses.

Chamar a este procedimento um processo modelar de descolonização, é um abuso semântico. A descolonização implica a eliminação de tudo o que se considera ética ou ideologicamente reprovável na relação entre a minoria que governa e os grupos submetidos. Acontece que as centenas de milhares de portugueses que povoavam os territórios africanos não eram participantes do aparelho do poder que o Movimento expulsou. Eram trabalhadores esforçados. Nem os centros de decisão lhes pertenciam, nem os abusos eram deles. A sede no poder não estava nas suas mãos. A maioria não tinha uma qualidade de vida superior à da classe média metropolitana. No trabalho encontravam a legitimidade do seu património. Muitos viviam como simples operários e camponeses. Mas todos foram vítimas indefesas de um processo de retirada que, ignorando a negociação multilateral, beneficiou directamente os interesses de uma das grandes potências em expansão mundial, e a publicidade eleitoral de políticos civis e militares intervenientes. Não é descolonização um acto que abriu caminho à eliminação física e silenciosa de milhares de homens de todas as etnias, que entregou às piores violências mulheres e crianças portuguesas sem conta, que submeteu à humilhação membros das

Forças Armadas Nacionais, e que obrigou à salvação da vida, pela fuga, a centenas de milhares de portugueses que tudo perderam, sem ao menos terem o amparo das opiniões públicas mundial e nacional, mantidas desinformadas dos acontecimentos. Dizer que tudo se deve à falta de palavra dos interlocutores, é o mesmo que dizer que não houve política. É pouco também adoptar, para este desastre, a justificação que Jorge Amado ofereceu no prefácio ao volume de poesias de Agostinho Neto, recentemente publicado. Ali disse que, desejando um acolhimento humano para os portugueses de Angola que estavam a chegar em fuga desordenada, utilizando em regra barcos de fortuna, não podia deixar de notar que só os exploradores procuravam salvar-se pela fuga, porque os outros, brancos e pretos, ficavam a cooperar na construção de nova República Popular. Com este comentário, Jorge Amado, evidentemente mal informado dos factos, pesou, creio que involuntariamente, com o seu nome e formação, no avolumar das injustiças que perseguem esses portugueses. Nos trópicos em revolta, o modelo que mais naturalmente se processa é o da imposição do poder de uma minoria aos restantes grupos. O poder alienígena que se retira é substituído por uma minoria nativa que se impõe. Isto é assim, entre outros motivos, porque ali não existem nações, existem apenas projectos nacionais. A análise só descortina grupos étnicos e culturais. Por isso a descolonização é um processo complexo, que não pode ser substituído pelo abandono ou pela capitulação. Quando assim acontece, a condição humana piora. Seguem-se por vezes coisas como a guerra surda do Sudão, onde morreram quinhentos mil homens que não fugiram, mas não puderam colaborar; ou o genocídio do Biafra, onde massacraram um milhão de homens, que não conseguiram nem fugir nem integrar-se; ou o que se passou na União Indiana, onde ninguém sabe quantos homens sobram dos oito milhões de Nagas que lá existiam e que o Governo de «libertação» liquidou sistematicamente; ou o que se está passando em territórios que eram portugueses, a despeito das advertências que eram conhecidas. O problema não é pois de consciência leve ou pesada dos que fogem, é de sinal ideológico dos que mandam. Trata-se da fraqueza dos homens, brancos, pretos e mestiços, diante da força. Não pode aceitar-se que, nestas circunstâncias, se fale em descolonização modelar, e que por antecipação fique assente que não há responsáveis pelas consequências. As assinaturas apostas nos documentos de Lusaka, que datam o início do processo, não foram assinaturas de estilo. Ninguém foi coagido para querer a qualidade de signatário. Alguns se reclamaram depois, perante o eleitorado, de com essa intervenção terem posto fim à guerra e trazido os soldados para casa. Ora, as sequelas do processo também faziam inelutavelmente parte dos serviços alegados pelos signatários. Não foi de descolonização que se tratou. Os retornados são as vítimas visíveis. Dos que não votaram, não se sabe quantos é que não tiveram sequer direito a epitáfio. Todos porém têm direito ao respeito.

4. Este sacrifício inglório está relacionado com um elemento da ideologia revolucionária, tal como

esta se foi revelando, que necessita de saneamento. Não existe precedente, nas revoluções conhecidas, de se ter repudiado a história nacional e de a ter confundido com a de um regime abatido. A Revolução Francesa derrubou a antiga ordem, mas glorificou a França de sempre e o seu projecto de futuro; a Revolução Americana apressou-se a proclamar a superioridade ética de um povo que se revoltava; a Revolução Soviética não derrubou um monumento, não sujou um Palácio, não enjeitou qualquer dos actos de expansão moscovita, não libertou qualquer dos seus povos e territórios coloniais que ainda conserva, aceitou a tradição ecuménica nacional, e tratou de a afeiçoar ao novo esquema ideológico; as Revoluções Neutralistas, de muçulmanos, de pagãos, de induístas, trataram de enaltecer o seu passado histórico, por vezes de bem difícil identificação, sem prejuízo de proclamarem um projecto socialista. Em Portugal assistimos à confusão da Pátria com o regime derrubado, à negação da validade ecuménica da expansão, à destruição da imagem nacional dos sábios, poetas, heróis e santos, à humilhação dos símbolos de um passado secular. Nenhum povo merece isto. Nenhum povo pode ser humilhado e ofendido, não por inimigos externos, mas por nacionais. O povo português não tem de que arrepender-se. Pelo contrário, tem fundamentos indestrutíveis para se gloriar na contribuição que deu para que o género humano possa ter hoje um sentimento planetário de interdependência e socialização. Mal servido, foi muitas vezes. Mas, na relatividade de cada época, nenhum o excedeu em moderação. É inaceitável que se reduza a gesta lusíada à violência inerente à expansão dos Estados, e sobretudo tem de repudiar-se a crítica quando vinda dos mesmos que, já no século XX, empenhados numa competição planetária, e alinhados pelas nacionalidades ou simplesmente pelas servidões ideológicas, não dispensam o arsenal atómico, nem os mísseis intercontinentais, nem os submarinos nucleares, nem as armas biológicas, nem se privaram de esmagar a Checoslováquia e a Hungria ou de destruir a Indochina. O povo português tem o direito de exigir que respeitem a sua gesta mundial; tem direito ao orgulho pelo seu passado; tem direito de impor isso aos seus nacionais. Pertence-lhe o direito de encarar os futuros agora possíveis, sem humilhação.

5. Para encarar esses futuros, nenhum elemento do seu património material e humano deveria ser dispensado, e menos ainda delapidado. Mas aquilo a que assistimos foi a uma destruição dos quadros técnicos forçados à dispersão pelo estrangeiro. Não são capitalistas, nem se trata de emigração ideológica em busca de outra paz. É um problema de direitos do homem, do mercado do trabalho, da tranquilidade e segurança que esse mercado exige para funcionar. Os professores, os médicos, os engenheiros, os agrónomos, os economistas, os agentes técnicos, os contramestres, os operários especializados, os médicos e pequenos empresários, foram compelidos a partir. O investimento nacional perdido não pode sequer ser avaliado. O País não tem qualquer possibilidade de reposição, sobretudo tendo em conta que o aparelho do ensino entrou em perda acelerada. O único

caminho é o da recuperação, a volta, mas isso não se faz, não se consegue, sem o prévio restabelecimento de uma economia e de uma administração. Entretanto, os débeis serviços que se mantêm são entregues a pessoal recrutado entre camadas que frequentemente têm mais ambição do que capacidade. São o que há, e não o que é preciso. Acontece assim que o equipamento português na indústria, no comércio, na agricultura, nos serviços, e que devia ser uma plataforma de lançamento para qualquer governo revolucionário, entrou em completa perda e desorganização por incapacidade de gestão e manutenção. Criticar a pobreza do desenvolvimento existente em muitos sectores, antes do 25 de Abril, poderia ser um estímulo para um novo programado salto em frente. Não aguentar o equipamento que existia, por meio de uma imediata intervenção gestora, ao serviço da nova ordem de coisas, foi uma inaceitável delapidação. Chamar-lhe sabotagem económica, não muda o facto.

6. Fazer face a essa quebra de desempenho da Sociedade e do Estado, pelo recurso imoderado ao património das nossas reservas em divisas e em ouro, traduziu-se em usar um capital nacional como se de um rendimento se tratasse. Pela janela escancarada da incapacidade administrativa foi deitado fora um património que não deveria ser utilizado legitimamente senão para o reequipamento nacional. Em dois anos foi liquidada a reserva de divisas. Com mais a extraordinária circunstância de se ter esperado pelo esgotamento dessas divisas para recorrer ao

ouro existente, já sem nenhuma liberdade de negociação porque a urgência é muita. O ouro começou a partir. Tudo sem que nunca se tenha publicado a conta dos gastos, para que se saiba como se sumiram as nossas divisas, quem negociou e assumiu as obrigações, que entidades e pessoas receberam o nosso dinheiro e estão a receber o nosso ouro, para fazer o quê, a que preços e em que condições. Sabe-se apenas que, sendo pobres, alguém gastou o mealheiro que tínhamos e nos deixou reduzidos a uma política de mendicância.

7. A negação dos valores nacionais, que nada têm a ver com os regimes, explica em parte, mas absolutamente não justifica, que a vida política portuguesa se tenha orientado para aquilo que Ortega talvez chamasse um *espelhismo*. Não falta quem se veja na figura de qualquer dos grandes nomes que pesam na condução dos negócios mundiais, e sem modéstia o diga ou o faça dizer. As imagens sucedem-se, as reputações fazem-se por recorte e sobreposição. Nenhum nesses interessados parece ter sido advertido de que jamais a uma dessas figuras mundiais, ou aos seus adeptos, lhes ocorreu comparar-se com qualquer deles. A reciprocidade não existe. Pelo contrário, parece que os políticos estrangeiros cada vez mais se consideram autorizados a opinar paternalmente sobre o destino português, emitindo diagnósticos e prognósticos conforme as respectivas tendências ideológicas. Por eles sabemos o que se projecta para nós. E já não o fazem apenas na discreta lonjura nos seus países, sentem-se antes no dever de vir opinar localmente,

trazendo ou retirando apoio aos agrupamentos. E deste modo, o País mais vai parecendo uma sucursal dessas forças estranhas do que um centro que deve contribuir autonomamente para a solução dos problemas que são de todos. A dimensão paroquial foi atingida.

8. A Revolução organizou-se em termos de o *poder político* pertencer ao Movimento e de a *administração* ser entregue a um colégio chamado *governo*, composto de pessoas fornecidas pelos partidos considerados ideologicamente idóneos, e convidados a colaborar na Revolução que não fizeram. Amparados ainda estes com uma *Lei do Indigenato*, destinada a facilitar o reconhecimento eleitoral dessa idoneidade pelo simples processo de eliminar as lideranças competitivas. Esta nova *Lei do Indigenato* é diferente da que vigorou em África porque desta última saía-se por via judicial, e daquela apenas se sai por via graciosa. Graciosidade logo exercida em relação a vários merecedores do estatuto da assimilação revolucionária, por motivos até hoje não declarados.

A imposta distribuição de funções implicava, para quem só conhece o que se publica, que o dever do chamado governo seria administrar, e que os chamados ministros, que não detinham poder político, eram realmente Secretários de Estado obrigados a mergulhar nas tarefas da Intendência. Em vista do que depois se passou, quem se considera responsável pela delapidação de tantos elementos do património português? Quem é que administrou mal? A probabilidade é que haja muitos voluntários para falar do peso da herança recebida, que muitas considerações ideológicas sejam tecidas, mas que a culpa continue, como antes, a morrer solteira. E entretanto, nunca foi tão numeroso o grupo de pessoas responsáveis, com hierarquias empoladas, em todos os sectores. Quanto menos exército precisamos, mais chovem as estrelas nos ombros de jovens oficiais revolucionários; quanto menor função tem a marinha, mais vice-almirantes possui; quanto mais pequenos são o território e a população, mais cresce o governo. Temos, se a conta está certa, setenta e dois membros do governo e mais vinte e dois membros do Conselho da Revolução. Nunca tantos governaram tão pouco.

Ao mesmo tempo, as missões e viagens ao estrangeiro multiplicam-se em flecha, com séquitos sem precedentes e com resultados não compensadores. É urgente compreender a mudança de estatuto internacional português, e abandonar a aparência de que cada líder político tem uma missão ecuménica a realizar, por vezes excedendo a que atribui ao País. O que existe é um País pequeno e pobre à procura de um novo estatuto internacional. E precisa de o alcançar sem vergonha pelo seu passado, com a dignidade e sobriedade que são corolários do sentido da responsabilidade. Não pode consentir-se o provincianismo que pretende substituir o inexistente estatuto político internacional português pelas relações pessoais de cada político. A política internacional assenta em interesses, não se baseia em compadrios. As amizades formais diplomáticas duram apenas o tempo que servem os interesses de cada Estado. E para servir os interesses reais de cada Estado, qualquer agente encontra logo as amizades e a cordialidade que são de estilo, sendo que os profissionais são os mais indicados para tal efeito. É urgente o regresso ao sentido da medida.

9. A inscrição do País no debate europeu está a fazer-se com tendência para colocar o assento tónico das dificuldades na atitude do Partido Comunista Português, acusado de não acompanhar o jogo democrático. Sobretudo, é frequentemente dito que o seu secretário-geral está desactualizado em relação à evolução do comunismo, que lhe conviria aprender com os dirigentes comunistas italianos, e entender melhor a actualização da esquerda europeia. Em vista da consagração que o referido secretário-geral recebeu em Moscovo na reunião de 1976 do Soviete Supremo da URSS, a impressão que fica é a de que são esses críticos, alternadamente seus companheiros de jornada, que terão vantagem em clarificar os seus conceitos sobre o papel do sovietismo e do internacionalismo proletário no mundo. A noção soviética dos interesses nacionais nos outros não coincide com a noção que é tradicional no Ocidente entre as correntes que não têm raiz moscovita. Na linha da URSS, ao contrário de o secretário-geral do Partido Comunista Português estar destinado a morrer na situação de vencido, como lhe foi prognosticado, parece antes que será recordado como tendo dado uma das mais valiosas contribuições para a expansão do internacionalismo soviético. A política chamada descolonização portuguesa foi, objectivamente, o mais importante dos acontecimentos, desde a paz

de 1945, no desenvolver da estratégia mundial da URSS. As palavras que, no programa do Movimento das Forças Armadas, se referem a esse passo, foram literalmente recolhidas de textos antigos do Partido. Conseguido isto, o caso do território português europeu é para eles um detalhe pequeno num vasto plano, e não há motivo para supor que tem qualquer autonomia dentro das zonas estratégicas de relevo actual. Pelo contrário, tudo indica que a Península Ibérica e a Europa é que são o problema. Por tudo, os que apoiaram e acompanharam a acção comunista até este ponto, intervindo na execução da chamada descolonização e formulando ou aceitando os corolários inerentes, não são os indicados para advertirem contra a existência de um perigo comunista que só denunciam quando ameaça os seus interesses políticos próprios. A única alternativa é procurar uma definição de metas, uma escala de valores, e a correspondente metodologia, em função dos espaços aos quais ainda pertencemos, todos no Ocidente. Uma coisa são relações com todos, outra é pertença. Um estatuto internacional próprio não parece que possa ser encontrado por outro caminho. O pluralismo das opções ocidentais que andam propostas, esse enriquece e alarga as possibilidades de escolha.

10. A tónica do saneamento de que necessita o aparelho montado pela Revolução de 25 de Abril é que é inadiável fazer Administração. Sobre ideologias é fácil dissertar e mostrar criatividade; de contracultura todos podem ser arautos; fidelidades internacionais são fáceis de invocar. Mas a Intendência é para

quem sabe. As grandes aventuras, a salvação vinda do exterior, o passadismo, o futurismo, a denúncia por ofício, a intriga por método, o boato por arma, a difamação como arte, o insulto como distracção, o carreirismo como modo de vida, estão sempre ao alcance de qualquer Revolta das Salamandras. A vida da Sociedade e do Estado fica assim reduzida a uma teoria de golpes, que não necessitam de demonstração, e onde são sempre os outros que se magoam e o interesse geral que se perde. Montar uma administração tem outras exigências. A sociedade civil precisa de uma lei que lhe defina a autonomia, e de um aparelho estadual que garanta o exercício dessa autonomia. O Estado tem de assegurar o desempenho que lhe incumbe e que não depende das lutas partidárias: a justiça, o trabalho, a saúde, os transportes, as comunicações, as finanças, o crédito, a produção, a circulação de bens, a salvaguarda de recursos, não podem estar à mercê dos alinhos e desalinhos de conveniência. Têm de estar fora disso para que sejam possíveis sem dano. A administração tem que ser entregue a um corpo com experiência, saber e idoneidade profissional. É a primeira medida destinada a salvar o que ainda resta. Um ponto final para que seja possível definir um novo plano de vida. Plano cuja trave--mestra tem de ser a possibilidade de os portugueses viverem em paz e em paz decidirem o seu futuro.

Rio de Janeiro, Março de 1976.

= ACUSAÇÕES
Ex.mo *Senhor Professor*
Doutor Adriano José Alves Moreira
Rua Vieira Lusitano, 29

N.º 114/C.M.S.R./75

No processo existente nesta Comissão, são-lhe formuladas as seguintes acusações:
1. *Ter sido ministro no Governo de Salazar;*
2. *Ter, enquanto ministro de Salazar, elaborado diplomas legais que promoviam e reforçavam quadros e centros da ex-PIDE, nas Colónias;*
3. *Ter elaborado o Decreto-Lei n.º 43 761, de 29 de Junho de 1961 que criou em Angola e Moçambique os «serviços de centralização e coordenação de informação, aos quais incumbirá, de um modo geral, reunir, estudar e difundir as informações que interessarem à política, à administração e à defesa das referidas Províncias»;*
4. *Ter participado na aprovação do Decreto-Lei n.º 44 357, de 12 de Maio de 1962, considerado de cariz marcadamente repressivo e anti-estudantil;*
5. *Ter colaborado na demissão do Prof. Doutor Vitorino Magalhães Godinho, tomando uma clara posição política de defesa do regime deposto;*
6. *Ter participado na elaboração do Decreto n.º 43 957, de 9 de Outubro de 1961 que procedia à reforma do plano de estudos do Instituto Superior de Estudos Ultramarinos e permitia a passagem automática, sem mais formalidades, dos professores ordinários a professores catedráticos, o que o beneficiava directamente a si próprio;*

7. *Ter sido Director do Centro de Estudos Políticos e Sociais do Ministério do Ultramar, órgão a que cabia particular responsabilidade na elaboração e formulação doutrinárias de apoio ao regime deposto;*

8. *Ter sido vogal substituto do Conselho Ultramarino;*

9. *Ter desempenhado as funções de Presidente e Vice--Presidente do CEDI (Centre Européen de Documentation et d'Information), órgão «em torno do qual se quer concentrar todas as forças vivas que surjam, não importa de que país, em defesa dos fundamentos morais e religiosos da civilização cristã. Com este fim, organizámos uma colaboração permanente com numerosos grupos de intelectuais e de homens políticos estrangeiros, erguendo assim uma primeira barreira contra as correntes materialistas que ameaçam o património cultural e a base secular da grandeza do nosso continente (...) O Centro apela para todos os intelectuais e homens de acção que se preocupam com a salvaguarda dos princípios já indicados. A sua organização está aberta a todos os que estão dispostos a colaborar na defesa do património cultural do Ocidente sobre o princípio da conservação da moral e da doutrina cristãs;*

10. *Ter assumido, enquanto Director do ISCSPU posições consideradas de defesa intransigente do regime deposto e de carácter anti-estudantil e de declarado sentido antidemocrático, como se constata, por exemplo, pela leitura das actas do Conselho Escolar de 7 e 12 de Dezembro de 1968 ou de 17 de Julho de 1969.*

Queira, V. Ex.ª dizer, no prazo de oito dias, o que se lhe oferecer sobre o assunto, apresentando as provas que entender convenientes.

Solicito de V. Ex.ª que se digne preencher o curriculum vitae *anexo, que deverá ser devolvido a esta Comissão, juntamente com a defesa.*

Apresento a V. Ex.ª os melhores cumprimentos.

Comissão Ministerial de Saneamento e Reclassificação do Ministério da Educação e Cultura, Lisboa, 8 de Janeiro de 1975. –

O Presidente da Comissão,
C. TORRE DE ASSUNÇÃO

= RESPOSTAS
Ex.ᵐᵒ Senhor
Presidente da Comissão de Saneamento
Gabinete do Ministro
Ministério da Educação e Cultura
Lisboa

Lisboa, 20 de Janeiro de 1975

Senhor Presidente:

Em resposta ao ofício de V. Ex.ª n.º 114 de 8 de Janeiro de 1975, no qual me transmite uma lista de acusações, sem indicação de origem, tenho a honra de informar o seguinte:

1. O primeiro dos pontos que pede comentários é o da minha passagem pelo Governo, na qualidade de Ministro do Ultramar, num curto período iniciado em 1961, depois do começo da acção dos Movimentos Armados em Angola. Devo salientar que a maneira como está redigido esse número exige imediatamente uma precisão. Nunca pertenci a nenhum partido político, nem precisei de qualquer chefia carismática para me guiar. Todas as decisões foram minhas, sem tais apoios, pelo que não posso invocar em nenhum momento o constrangimento ou a necessidade de transigir com fidelidades partidárias ou compromissos de chefia política. De modo que o Governo a que pertenci era o que existia, entrei nele por julgamento meu sobre a conjuntura nacional,

sem que para isso tivesse qualquer influência ou um partido ou que o Chefe do Governo fosse aquele ou outro. A chefia do Governo era um facto, entre muitos, a considerar na apreciação do momento histórico que se vivia. Esse momento dizia respeito à definição de Portugal no Mundo e não, como entendo que foi erradamente sustentado por outros, ao mérito do seu regime político. Existe um problema histórico importante que é o de saber o que fez tal regime dos interesses nacionais cuja gestão se atribuiu. Mas a definição portuguesa no Mundo foi obra secular da Nação, não foi obra de um regime de décadas. Pareceu-me há dias que o Dr. Agostinho Neto, ao discursar em 15 de Janeiro de 1975 no encerramento da chamada Cimeira do Algarve, entendia e explicava isso melhor do que muitos ensaístas portugueses. De facto, não existiu nunca contradição entre a defesa de uma concepção multicontinental portuguesa e a defesa de uma justiça social que eliminasse o colonialismo interior. A República implantou-se em Portugal, entre outros alegados motivos, para preservar o Ultramar português, mas afirmou-se socialmente justa, exigente e progressiva. O Hino Nacional que ainda se canta, quando fala nos canhões inimigos refere-se aos canhões ingleses que apoiaram o *Ultimatum*. Não será necessário recordar os nomes dos mortos que a actual Revolução em marcha honra pela sua concepção de vida política interna, e que todavia foram sustentáculos do Ultramar português. Os portugueses sacrificados nas lutas do anticolonialismo do século XX não eram mercenários ao serviço de interesses inconfessáveis: houve interesses inconfessáveis que aproveitaram o seu sacrifício. A expansão de Portugal não foi obra de um regime, foi obra da Nação: o regime sacrificou interesses nacionais para defesa de interesses de grupo. Para intervir na definição de um destino português durante a maior crise de todos os tempos, existiam muitas alternativas possíveis. Aquela que o patriotismo recomendava aos que amavam a Pátria multicontinental em que tinham nascido, e que ou nada deviam ao regime ou lhe deviam agravos, era colocarem-se acima das contingências pessoais; o dever do regime, era esquecer os seus interesses sectários a favor do bem geral. Que o regime tenha faltado a esse dever e desperdiçado o quarto de século que teve à sua disposição, é indesculpável; que muitas pessoas das mais variadas tendências, tenham considerado, como fiz, que não devia perder-se qualquer oportunidade de tentar uma convergência e tenham decidido correr o risco calculado de uma acção ineficaz, é coisa que só desgosta os próprios; que a frustração causada por um regime longo e monopolizante possa ter levado alguns a colocar o conflito ideológico acima da própria tradição ultramarina das suas correntes oposicionistas, é apenas humano. Isto não evita dizer-se que era sobre o regime que recaía mais intenso o dever da convergência. Não é fácil nem é justo obter cooperações sem conceder a participação. Por outro lado, é saber antigo que um regime forte, apoiado nas Forças Armadas, não pode ser derrubado senão na sequela de uma guerra perdida que destrua o exército, ou por revolta do exército. Por isso, os revolucionários que tanto aborrecem o reformismo, acusando-o de impedir o aprofundamento das contradições sociais, são tantas vezes e apenas os arautos da 25.ª *Hora*, que é a que se segue ao derrubar do Estado pela revolta que eles não fizeram. Antes disso, só o reformismo tem oportunidade de obter alguns resultados em face de crises que obriguem os detentores do poder à revisão das suas posições para bem do interesse nacional. Já tem acontecido, mas é certo que o caso português não foi esse.

2. O Presidente do Conselho lembrou-se das críticas do que chamei o institucionalismo reformista quando a crise se tornou aguda em 1961. Tais críticas eram públicas e escritas, a maior parte delas sistematizadas nos trabalhos que foram documentando a acção do Centro de Estudos Políticos e Sociais que funcionava no ISCSPU, integrado na Junta de Investigações do Ultramar, e que adiante será referido com maiores pormenores. Resumirei aqui, por necessidade de exposição, alguns dados da conjuntura dessa época, tal como a via. O anticolonialislmo actuante do século XX, sem qualquer coincidência com o do século XIX, é uma definição pragmática imposta pelas grandes potências vencedoras da guerra de 1939-1945. Quando falamos de grandes potências referimo-nos à URSS e aos EUA, porque as outras receberam essa designação por simples cortesia.

Tal definição pragmática tem um *aspecto doutrinal* com expressão em certos *princípios-guias* escritos na Carta da ONU; e tem um *aspecto operacional* que se traduz na limitação geográfica da zona da sua aplicação. Não se. aplica a nenhum dos territórios ou povos em regime colonial sob soberania soviética ou cabendo na sua zona de influência; não se aplica a nenhum dos territórios ou povos em regime colonial sob soberania americana ou cabendo na sua zona de influência. Tais povos e territórios são muitos e variados.

A zona geográfica da sua aplicação abrangeu os territórios de todas as antigas metrópoles esgotadas pela guerra e, necessariamente, todos os territórios portugueses.

As diminuídas metrópoles europeias utilizaram, para responder à imposição, uma técnica de conciliação entre as suas ambições e as suas capacidades, técnica que recebeu o nome de *neocolonialismo*. Traduziu-se este em reconhecer que o poder político compreende mais do que o poder militar, com os seus símbolos: também abrange o poder económico, o poder financeiro, o poder cultural. Procuraram uma nova maneira de continuar, dando a impressão da retirada. Quando necessário, decidiram continuar juntas, dada a impossibilidade para cada uma delas de continuar só. O Tratado de Yaundé, de 29 de Julho de 1969, entre o Mercado Comum e os Estados Africanos e Malgache, é o regresso de todas à África com uma nova *Pax Mercatoria*.

Nada disto corresponde senão ao maquiavelismo pragmático que preside ainda hoje às relações internacionais, muito afastadas nas ambições da ética.

A atitude do Governo Português perante este desafio abusou de um facto que procuraremos identificar e descrever. E não retirou dele as vantagens que devia. De facto, a comunidade das potências ocidentais interessadas na zona da descolonização, e que para si próprias inventaram o neocolonialismo, sabia que Portugal não tem meios para exercer essa técnica. A recusa do neocolonialismo não precisa de ser para Portugal uma virtude, é uma imposição da natureza das coisas. Por outro lado, tal comunidade tinha evidente interesse em que os territórios e povos sob soberania portuguesa se mantivessem no campo ocidental. Com tal objectivo, garantiu a Portugal mais de um quarto de século de liberdade para encontrar soluções políticas que permitissem a evolução da unidade portuguesa em paz. Foi assim que, por entre as tempestades do mundo, nada aconteceu aos territórios portugueses durante a década que vai desde a fundação da ONU em Outubro de 1945 até à admissão de Portugal na organização, em resultado de um acordo entre a URSS e os EUA. Nos anos que decorrem desde então até 1961, tudo se limitou a uma guerra de conceitos, durante a qual a comunidade ocidental paralisou a ONU em relação a Portugal usando a regra bloqueante da necessidade de uma maioria de dois terços para condenar o nosso País. A perda desse domínio parlamentar coincide com o início da luta armada mas, nos anos que decorrem até 1974, nunca faltou o auxílio dessas potências, ainda quando publicamente o não reconheciam ou negavam.

A primeira resposta governamental portuguesa a esta conjuntura foi o uso da doutrina da *neutralidade colaborante,* formulada incipientemente durante a guerra civil de Espanha, e desenvolvida depois ao sabor das circunstâncias. Em resumo, a doutrina assentava na convicção de que seria *respeitado o direito internacional clássico; na inviolabilidade da jurisdição interna; na permanência de uma vontade ocidental de domínio; na intangibilidade das fronteiras; na capacidade permanente de, a partir daquelas premissas, conservar a estrutura política interna, incluindo sobretudo o regime.*

Quando os factos mostraram, a partir de 1961, que a neutralidade colaborante, depois de ter esgotado uma boa parte do mencionado quarto de século, não podia continuar a pretender ter credibilidade, os pontos principais que se traduziram na plataforma em que assentou a minha pedida colaboração, procuro resumi-los a seguir:

a) Portugal tem direito à sua definição de Pátria multicontinental. Questão diferente é a de saber se tem um poder à medida do seu direito. Por isso, além de princípios, e como qualquer país, necessita de uma *ordem de batalha,* e esta é um problema de gestores e não de filósofos.

b) Já fora dito, até por oficiais do exército exercendo nessa data altas funções de governo, que a luta se traduzia num problema que não podia ser resolvido por meios militares. Em si mesma, era uma conclusão técnica conhecida que apenas significa a necessidade de acrescentar soluções políticas. Por isso, e sem qualquer contradição, esses mesmos militares bateram--se, ganharam promoções até aos postos supremos, e receberam as mais altas condecorações. *O princípio era o de que compete às Forças Armadas ganhar o tempo necessário para implantar as soluções políticas.* Sem perder tempo, porque a resistência não pode *ser* ilimitada.

c) A primeira e urgente regra política a adoptar era a da *autenticidade*: não podia continuar a dizer-se uma coisa nas leis e a praticar outra diferente. As teses e as hipóteses tinham de coincidir. Porque doutrina ninguém a teve melhor do que a Nação portuguesa. O que estava em jogo era um conflito mundial de interesses, onde era necessário salvar os nossos. Com justiça, porque um Estado não precisa de ser pequeno para ser justo. *Nestes interesses nossos* tinham de estar, por vontade própria e adesão, os interesses das populações originárias dos territórios em questão. Não era o princípio das nacionalidades desses povos que estava em causa, porque o conceito ocidental de nacionalidade não encontra ali correspondência sociológica: era sim o princípio da dignidade humana igual em todos os homens que nos devia unir sem diferenças étnicas, religiosas ou culturais. O *projecto nacional*, com que todos esses povos procuram enquadrar-se para realizar a sua ambição de uma vida justa, podia e devia ser-lhe proporcionado e oferecido pela nossa velha nacionalidade. O direito à autodeterminação, que pertence a todos os homens e povos, não significa que só deva conduzir à separação. Também pode conduzir à integração numa unidade política, sob várias formas consentidas, desde o Estado com unicidade, à federação, à confederação, à comunidade. A regra de que cada homem é um fenómeno que não se repete deve presidir à formulação dos projectos nacionais oferecidos.

O interesse evidente da comunidade internacional deveria ser aproveitado para encontrar fórmulas nossas de evolução em paz e unidade, chamando o Brasil a uma participação gestora nos interesses comuns.

3. Traduzida na acção, a regra da autenticidade implicou a introdução de reformas fundamentais, que foram publicadas com rapidez e decisão. Pensávamos saber que os povos pegaram em armas, nas regiões onde os interesses das grandes potências lho consentiu, porque um clima de injustiça social tornou possível que o guerrilheiro se sentisse no meio do povo como o peixe na água.

Ora, é falsa a afirmação absoluta de que Portugal está em África há cinco séculos. Está nas costas de África desde o início das descobertas. No interior, nem Portugal nem qualquer outra potência ocidental esteve antes que a técnica permitisse ao europeu resistir à agressão do ambiente. Por isso, só a partir de 1885 os europeus marcharam, todos ao mesmo tempo, para o interior do continente. Devendo ter-se em conta os anos da implantação da soberania, a obra de África tem menos de um século. E foi espantosa. Nada há que envergonhe o Povo português. Mas não deixou de exibir, por culpa governativa, a síndrome de injustiças que implicaram por muitas outras partes a recusa do projecto nacional oferecido e a preferência por um projecto nacional nativo.

Em primeiro lugar, o famoso Estatuto do Indigenato. Não duvido das intenções do primeiro autor. Foi, na sua execução, um instrumento discriminatório e negador da igualdade dos homens. Introduzido o instituto da assimilação, e executado este com espírito restritivo, era uma barreira intransponível para que os homens por ele abrangidos viessem a receber um estatuto de igualdade com os europeus. Foi em tempos tornado ainda mais odioso pela invenção da chamada assimilação parcial, um refinamento de doutrina introduzido pelo Ministro das Colónias de 1945. *Revoguei imediatamente o Estatuto dos Indígenas,* por Decreto de 6 de Setembro de 1961. Todos os portugueses passaram a ser iguais perante a lei política. Este diploma é tão importante na história da evolução legislativa portuguesa como os diplomas que puseram termo à escravidão e ao tráfico. As reacções que causou foram do mesmo tipo. A execução foi lenta e difícil enquanto estive no Governo, e creio que inteiramente deturpada ou suspensa logo que o Ministério foi ocupado pelo mesmo grupo de pressão e interesses que viria a organizar o último Governo da Constituição de 1933.

Recordo, por exemplo, que em 6 de Setembro de 1962 tive de publicar o Decreto 44 455 a dispensar os antigos indígenas da documentação exigida para a obtenção dos Bilhetes de Identidade, porque este obstáculo estava a ser usado para os impedir de exercerem os seus direitos de cidadania. Pois até este diploma foi revogado, pelo Decreto 49 980 de 23 de Abril de 1969.

Por outro lado, o controlo da circulação de pessoas dentro de cada um dos territórios, e de uns para os outros, era um instrumento policial que atingia gravemente o direito basilar da deslocação física, alicerce de todos os outros direitos do homem. Pelo Decreto 44 171, de 1 de Fevereiro de 1962, *decretei a livre circulação de todos os cidadãos portugueses e a sua livre fixação em qualquer parte do território nacional.* Deste modo se procurava substituir o regime policial da *assimilação* pelo que passei a chamar *política de inte-*

gração das populações. Esta caracteriza-se pela regra pluralista de que todos têm o direito de ser diferentes e tratados como iguais. É evidente, para qualquer entendimento médio, que esta expressão nada tem que ver com a corrente, mais tarde aparecida, e que se chamou *integrista,* a qual doutrinava a *unicidade do Estado,* e contrariava a política de *autonomia progressiva e irreversível na unidade* que sempre sustentei e pratiquei.

O segundo elemento gravíssimo da injustiça estrutural do Ultramar estava nas relações de trabalho. Havia trabalho compelido. Infelizmente ensinava-se na própria Universidade a sua legitimidade e necessidade. É certo que convenções internacionais previam o seu uso em casos restritos. Mas não era disso que se tratava. Tratava-se da violência. Publiquei o Código do Trabalho Rural, aprovado pelo Decreto 44 309, de 27 de Abril de 1962, cujas características são as seguintes: *todos os trabalhadores se regulam pela mesma lei; não era consentida nenhuma forma de trabalho forçado; não se admitiam, sanções penais; era abolida a tutela paternalista; era proibida a intervenção das autoridades no angariamento; a autoridade não intervinha na formação de contratos de trabalho; salário igual para trabalho igual, sem distinção de etnia ou sexo.* Tudo isto representava a integração do País na obediência dos tratados internacionais e correspondia às exigências mais instantes da doutrina social da Igreja. Corolário deste Código foi a *extinção do regime das Culturas obrigatórias,* e a submissão desse domínio às leis do mercado, introduzindo uma política de preços justos e de fiscalização severa. A importância desta intervenção, em que avulta o problema do algodão (Decreto n.º 43 875, de 24 de Agosto de 1961, pode medi-la quem souber que os acontecimentos sangrentos de Cassange de 1961, que inteiramente escaparam à informação internacional, foram determinados pelo problema da cultura do algodão. A revolta dos trabalhadores da área não foi entendida pelos militares envolvidos na repressão como pondo em perigo a soberania, mas sim como pondo em causa a estrutura económica. O sangue pareceu-lhes derramado sem causa justa. Circularam documentos a que todos deveriam ter prestado atenção. Começou ali a revisão militar da autenticidade do regime em vigor, mas não ainda a revisão da capacidade de continuar a procurar instaurar uma unidade real de todos, embora revestindo uma forma a discutir e problemática.

Estas leis do trabalho, acompanhadas da criação da maquinaria administrativa destinada a executá-las, foram consideradas pelo BIT como as mais adiantadas de todo o continente africano. Não posso deixar de lembrar aqui D. Sebastião de Resende, um Bispo missionário e patriota que muito sofreu, que foi um pastor inspirado e inspirador, que me apoiou sempre, e do qual pode ler-se por exemplo a sua Ordem Anticomunista (L. Marques, 1960). Isto porque o relatório do inquérito que o BIT realizou sobre o terreno em 1962, já conta uma história diferente. Tal Relatório é o resultado do trabalho de uma Comissão cujos membros foram Paul Ruegget (Suíça), presidente da Comissão para o Trabalho Forçado do BIT; Henrique Armand-Ugon (Uruguai), antigo presidente do Supremo Tribunal de Justiça do seu país; Isaac Forster

(Senegal), primeiro presidente do Supremo Tribunal do seu país. Está publicado no *Official Bulletin* do BIT, volume 45, n.º 2, Suplemento II, Abril de 1962, Genebra. Concluiu que o resultado das medidas tinha sido: *«To provide new administrative machinery for the enforcement of labour legislation, to abolish the eprevious special status of natives, to modify or abolish arrangements concerning the cultivation of cotton, rice and castor-oil which had been alleged to involve an element or danger of forced labour, and to terminate systems of recruitment of workers through the administrative authorities which had continued to exist in certain cases after 23 November 1960».*

Finalmente, o problema das terras é em toda a parte uma causa de revolta. Em extensas regiões do mundo, novos ocupantes libertaram a terra pelo genocídio e resolveram o problema da mão-de-obra pelo tráfico e pela escravidão de alienígenas. Em África, de maneira geral o nativo foi obrigado a fornecer a terra e a mão-de-obra, enquanto que o colonizador forneceu o capital e a técnica. O drama da articulação nunca foi suficientemente descrito. O Regime das Terras foi logo objecto do Decreto n.º 43 894, de 6 de Setembro de 1961, *impondo a necessidade do aproveitamento dos terrenos concedidos sob pena de reversão; procurando entravar a tendência de negociar com bens do Estado; assegurando a inviolabilidade e proibindo o desvio das terras pertencentes às comunidades, a fim de serem por elas ocupadas e utilizadas de harmonia com os seus usos e costumes, sem prejuízo da aquisição individual da terra em vista do novo regime de igualdade da cidadania.*

Referirei apenas e ainda a criação dos Estudos Gerais Universitários, por Decreto n.º 44 530, de 21 de Agosto de 1962, o qual, como grande parte dos outros, escrevi eu próprio. Várias pessoas de diferentes habilitações e graduações gostam de ser consideradas precursoras ou intervenientes. Não há inconveniente nisso. Um Parecer da Junta Nacional de Educação, nessa data publicado, chega para explicar as mistificações com que pretenderam diminuir ou impedir o projecto.

Tudo isto, e o mais que seria fastidioso referir, e não é necessário para exemplificar, provocou reacções tremendas, campanhas, ameaças, que são a moldura normal de épocas de crise e de interesses feridos. O ponto crítico aproximou-se muito rapidamente com a convocação que fiz, por minha iniciativa e responsabilidade, da reunião plenária e extraordinária do Conselho Ultramarino, em Setembro de 1962. Fixei-lhe como objectivo assentar «*na definição, das regras a seguir para a resolução dos graves problemas que temos enfrentado nos últimos tormentosos e esgotantes anos*». Teve a maior representatividade de sempre. Tudo se passou sob grande tormenta. Tornou-se claro que não havia evolução útil para os interesses portugueses sem que se aplicasse rigorosamente uma política autêntica de integração das populações, de modo a que o corpo político fosse realmente o povo *multirracial* de que falava a doutrina. A administração pública teria de continuar a ser encaminhada para a descentralização progressiva e irreversível. Os centros de decisão dos interesses locais, públicos e privados, deviam ser instalados nos territórios respectivos. Os efeitos políticos previsíveis, em vista do alargamento autêntico e multirracial do corpo político, eram os de uma

Federação, sobre a qual apareceram duas correntes. Houve quem, isolado, confundisse o século XX com o século XIX, e pensasse que era oportuno considerar o modelo imperial dos domínios. Propunha-se incitar os colonos à separação, com o único resultado previsível de Rodésias inviáveis ou de Áfricas do Sul condenáveis. Este pensamento dominou o grupo que veio a formar o último governo da Constituição de 1933, o qual ignorou sistematicamente os nativos, defendeu sempre o indigenato, condenou a miscigenação. Todos os outros aceitavam que o resultado mais ambicioso a desejar seria a evolução para uma final Federação autêntica, não excluindo a lógica de soluções do tipo brasileiro. De facto, não se conhece no pensamento português defensor de uma unidade portuguesa que não tenha ao mesmo tempo proclamado o orgulho de termos criado o Brasil. Do ponto de vista dos valores a coerência é perfeita. A explicação, foi talvez intuída por António José de Almeida na sua histórica viagem ao Brasil

A reacção tornou impossível continuar. O Presidente do Conselho disse-me que, para continuar a apoiar as minhas reformas, não teria força para se manter como Chefe do Governo. Considerava necessário mudar de política. Expliquei-lhe que precisava de mudar de Ministro. Assim se fez. Em discurso público e curtíssimo, assumi a exclusiva responsabilidade pessoal pela experiência reformista que ali findou. Era apenas a verdade e não se tratava de reclamar um êxito. A política ultramarina ficou desde então, até 25 de Abril de 1974, a cargo do mesmo grupo de interesses que finalmente organizou o último Governo da Constituição de 1933. Deve ser um livro interessante o que conseguir lidar com os despachos, instruções, circulares, que se dedicaram desde então a tornar ineficaz a legislação reformadora. Quando, em 1974, o General António de Spínola repunha o projecto federal, que também foi de Henrique Galvão, era tarde porque se tinha perdido mais de um irrecuperável quarto de século. Aquilo que entretanto tive de suportar durante estes anos, creio que não interessa nada às pessoas que formularam as questões que vou comentando. É comigo.

4. Os problemas que podem considerar-se abrangidos pelos outros números do ofício a que me reporto, no caso de a interpretação que lhe dou ser acertada, são menores em relação ao que fica narrado em linhas gerais. Mas não deixarei de lhes fazer o comentário que a memória, depois de tantos anos, e os poucos elementos de que disponho, me consintam.

O primeiro diz que *elaborei* diplomas legais que promoviam e reforçavam quadros e centros da PIDE nas colónias. Não sei quem o diz, não estou interessado em saber. Simplesmente, é inexacto. Não há qualquer diploma referente à PIDE, e publicado no período em que fui Ministro que tenha sido da iniciativa do Ministério do Ultramar. Foram todos, que me recorde, da iniciativa do Secretariado da Defesa Nacional, baseados em exigências das Forças Armadas, que lidavam com o mesmo adversário. Por isso, o Programa do MFA manda tratar separadamente o problema da PIDE na Metrópole e o problema da PIDE no Ultramar. Para o Ultramar, previu a integração nos serviços militares. Tenho a ideia, só os arquivos poderiam confirmar, de que recusei ao Secretariado da Defesa Nacional o alargamento da disciplina penal por entender que as leis comuns eram suficientes. As pessoas que poderão informar sobre este ponto são os sucessivos Chefes do Estado-Maior das Forças Armadas e o Director-Geral de Justiça do Ministério do Ultramar. No meu tempo, e nomeado por mim, foi Director-Geral o Dr. Honório Barbosa, um magistrado que toda a vida tinha sido considerado opositor ao regime e que apenas se decidiu a intervir na administração por se tratar de uma conjuntura que ele também considerava de interesse nacional. Acrescentarei que a legislação restritiva das garantias individuais da liberdade física, publicada em 1945, teve, nessa data, apenas um crítico em Portugal, que eu saiba, e que foi o signatário. Os pronunciamentos principais que fiz então foram mais tarde reunidos num volume chamado *Estudos Jurídicos,* publicado em 1960. Nas nomeações efectuadas mandei atender ao mérito das pessoas e nunca às informações da PIDE. Houve instruções minhas, cumpridas, a tal despeito. Era de convergência para o interesse nacional que se tratava. Lembro, por exemplo, que nomeei para Secretário-Geral de Angola, com superintendência nos serviços de polícia, o Dr. Deodato de Azevedo Coutinho; para Director-Geral de Justiça, o Dr. Honório Barbosa; para Secretário Provincial de Moçambique, o Professor Ario Lobo de Azevedo; para os Serviços de Economia de Moçambique, o Dr. José Alves da Cruz Ferreira; para Notário em Moçâmedes, o Dr. Barreto Lara; para

Nampula, o Dr. Paulo Gomes de Oliveira; para o Bié, o Dr. Cortesão Casimiro; o Dr. Agostinho Neto saiu da cadeia nomeado para os Serviços de Saúde de Cabo Verde. E muitos outros que não me lembram, e que também estarão eles esquecidos.

5. O Decreto-Lei n.º 44 357, de 12 de Maio de 1962, do Ministério da Educação Nacional, estabeleceu, que eu recorde, um processo para a apreciação disciplinar do comportamento dos estudantes, até então submetidos às conclusões discricionárias das autoridades académicas. O que competia aos outros ministros, como certamente acontece hoje, era aprovar a filosofia geral dos diplomas das outras pastas. A filosofia geral de uma legalidade, de um processo assegurando o direito de defesa, de regras cominando responsabilidade efectiva por tudo o que exceda o direito de ter e exprimir uma opinião e de lutar por ela sem ofender o direito dos outros, merece a minha aprovação. Um processo deve existir. A concepção da vida universitária, os seus valores, os seus objectivos, aí é que se manifesta a atitude política de cada um nesse domínio. Adiante falarei disso, no lugar próprio.

6. Diz-se, na nota a que respondo, que sou acusado de ter colaborado na demissão do Professor Doutor Vitorino Magalhães Godinho, tomando assim uma clara posição política de defesa do regime deposto. Posso dizer alguma coisa sobre a demissão do Dr. Godinho, mas posso e devo dizer mais porque isso é que é da minha responsabilidade sobre a sua

nomeação sem concurso, para Professor Ordinário (Catedrático) do Instituto Superior de Estudos Ultramarinos por Portaria de 11 de Dezembro de 1959. Nesse tempo o nosso Instituto não estava integrado na Universidade e era uma *Escola de Quadros* dependente exclusivamente do Ministério do Ultramar, embora o curso fosse superior e os professores equiparados inteiramente aos professores universitários. O signatário era Director do Instituto, e andava preocupado com a necessidade de recrutar pessoal docente por convite em vista das dificuldades e penúrias ainda hoje notórias. Aconteceu que um prestigiado Professor do Instituto, e mais tarde Director na data do incidente do Dr. Godinho, me procurou, em 1959, e me pediu que patrocinasse a entrada do Dr. Godinho nos Quadros do Instituto, alegando vários fundamentos. Além da categoria científica do candidato, acrescentava que ele se encontrava em França havia anos, cansado do exílio, e tendo filhas cuja idade o aconselhava a trazê-las para Portugal porque não desejava educá-las naquele ambiente. Pretendia regressar e convinha-lhe o lugar de professor no Instituto. Tinha sido acusado de comunista no passado, mas isso não era exacto. O signatário nunca tinha visto o Dr. Godinho, conhecia a sua obra publicada, e sabia vagamente das suas passadas dificuldades disciplinares na Faculdade de Letras. Estava convencido, pela leitura da obra, que o Dr. Godinho não era comunista. Reconhecia--lhe competência para acrescentar o valor do corpo docente do Instituto. Respondi ao professor intermediário que pusesse o Dr. Godinho em contacto comigo. Na conversa que tivemos confirmou-me o que o intermediário me tinha dito. Chamei-lhe a atenção para a dificuldade que poderia aparecer proveniente da sua reputação de comunista, notei-lhe que o nosso Instituto ainda não estava protegido pela independência do Estatuto Universitário, que era uma Escola de Quadros legalmente comprometida com uma filosofia ultramarina. Respondeu-me que todas as escolas são dignas, que nada tinha contra o regime a que o Instituto estava subordinado, e que era alheio a qualquer actividade política. Tomei a responsabilidade de o propor para nomeação sem concurso para o lugar de professor que desejava: com isto sabia estar a enriquecer o corpo docente do meu Instituto. Esta proposta, aprovada pelo Conselho Escolar e enviada ao Ministro do Ultramar Lopes Alves, deu origem a várias complicações. O Presidente do Conselho, ao qual o Ministro apresentou a proposta por lhe encontrar melindre político, disse que nada tinha a opor se o Director do Instituto pudesse garantir a seriedade dos propósitos afirmados pelo Dr. Godinho. Chamado eu ao Ministério, respondi que ao fazer a proposta e ao votá-la, era porque estava convencido da seriedade de propósitos afirmados pelo interessado, pelo que não podia deixar de tomar a responsabilidade pessoal desse entendimento. O Dr. Godinho foi nomeado. Assinou a declaração de integração na ordem constitucional estabelecida. Tomou posse. Houve logo agitação na própria Assembleia Nacional. Eu, que não exercia nem exercera nunca, qualquer cargo político, fui atacado. Ele passou a exercer com êxito o cargo que desejava. Entretanto vim a entrar no Governo e perdi todo o contacto com o Dr. Godinho. Quando surgiu a crise universitária de 1962, e creio que no regresso de uma das muitas e constantes viagens que me mantinham fora da Metrópole, o Presidente do Conselho quis falar comigo sobre o Dr. Godinho. Explicou-me que em relação a vários professores, entre os quais se destacava o Dr. Lindley Cintra, que estavam a liderar os movimentos estudantis, chegara à conclusão de que não devia interferir. Tinha porém um caso especial, que era o do Dr. Godinho. Considerava-se enganado, em face do relatório que recebera referente à atitude que o Dr. Godinho teria tomado em carta escrita e destinada a incitar o Conselho Escolar e os estudantes contra o Ministro da Educação, mas procurando manter-se afastado de qualquer responsabilidade. Era acusado de procedimento contrário à idoneidade necessária para o exercício da docência. Informava-me de que ia demiti-lo usando a faculdade discricionária que a lei lhe conferia em relação às pessoas que não inspirassem politicamente confiança. Disse-lhe que não esquecera que fora eu quem tomara perante o Almirante Lopes Alves a responsabilidade pela seriedade de propósitos do interessado em 1959. Não conhecia os factos. Mas os tempos mudam e os homens também. As razões do Dr. Godinho podiam não ser as mesmas de então. Os factos podiam estar mal relatados. Finalmente, não podia aceitar que qualquer pessoa fosse punida por uma acusação que atingia a sua honorabilidade sem o direito de ser ouvida. Tal procedimento do Governo implicaria a minha demissão imediata, sobretudo num caso em que a minha responsabilidade pelo interessado estava envolvida e era citada. Perguntou-me se teria iguais objecções no caso de ele ser ouvido em processo legalmente instaurado, com todas as garantias de defesa. Disse-lhe que a isso daria o meu acordo e que, tratando-se de um professor universitário, objecto de acusações desprestigiantes que provavelmente nem sequer conheceria, era indispensável. Só que, estando o Instituto integrado na Universidade, e tratando-se de uma questão que envolvia a minha Escola, e que sobretudo envolvia dois professores amigos no passado, não teria eu qualquer intervenção na decisão. Fui também procurado depois pelo Director do Instituto, que me relatou a sua versão do incidente, com grande amargura. Remeti-o para o Ministro da Educação Nacional, escusando-me de intervir. Sobre os factos, e o seu valor ético, nunca me pronunciei. Não tive posterior intervenção neste caso. O Dr. Godinho foi demitido por decisão disciplinar publicada no Diário do Governo de 25 de Agosto de 1962, proferida durante a minha ausência em Cabo Verde. Recorreu para o Supremo Tribunal Administrativo, que anulou o processo por vício de forma. Voltou a ser punido por decisão publicada no Diário do Governo de 10 de Dezembro de 1962, quando eu já não pertencia ao Governo. De novo recorreu, mas o Supremo Tribunal Administrativo confirmou a decisão em termos que são públicos. Entretanto, o Dr. Godinho deve ter sempre ignorado as dificuldades graves que me provocou, porque nunca me disse uma palavra a tal respeito. Não lhe devo qualquer favor. Não desejo que alguém pense que ele mo deve a mim. O meu Instituto deve-lhe serviços e lucraria em o recuperar.

7. Acusam-me de ter elaborado o Decreto-Lei n.º 43 761, de 29 de Junho de 1961, que criou em Angola os serviços de centralização e coordenação de informações, aos quais incumbiria, de um modo geral, reunir, estudar e difundir as informações que interssassem à política, à administração e à defesa das referidas províncias. Fui ler o diploma no Diário do Governo. Vejo que autoriza os Governadores a mandarem arrumar os serviços dos seus gabinetes, poço sem fundo de papéis que chegavam de todos as lados. Qualquer pessoa que tenha noção da técnica de formação de decisões sabe que se trata de um aspecto da organização do trabalho burocrático sobre informações recebidas. Deve haver erro de leitura ou de citação.

8. Acrescenta-se que participei na elaboração do Decreto n.º 43 957, de 9 de Outubro de 1961, o qual procedia à reforma do plano de estudos do Instituto Superior de Estudos Ultramarinos, e também à passagem automática, sem mais formalidades, dos professores ordinários a professores catedráticos, o que me beneficiava directamente a mim próprio. Esta corresponde ao tipo de afirmações que exigem paciência. Salvo erro, o quadro de professores do Instituto era nesse tempo de catorze professores catedráticos e sete professores extraordinários, além dos assistentes e do restante pessoal técnico. Não sei quantos colaboraram na reforma do plano de estudos. Se houvesse

benefício, era para todos. Não creio que seja necessário dizer mais para explicar a necessidade da paciência. O certo é que ninguém foi beneficiado porque a categoria de professor ordinário era exactamente a mesma dos professores catedráticos. Mudaram de nome e de estatuto. Direi, incidentalmente, que o meu cargo de professor foi obtido em concurso de provas públicas e não por convite. Do que se tratava era de saber se o Instituto, que era uma Escola de Quadros, devia ou não integrar-se na Universidade e passar a estar protegido na sua actividade científica e pedagógica, pela independência e ética universitárias. Houve sempre um adversário desta solução, que foi o futuro último Presidente do Conselho da Constituição de 1933. O Ministério do Ultramar, na gerência do Ministro Lopes Alves e por Decreto de 7 de Abril de 1961, quis fazer do Instituto um Instituto Universitário fora das Universidades então existentes, A intenção, disseram-me, era fazer dele o núcleo de uma próxima Universidade do Ultramar (que se chamaria Infante D. Henrique e creio ter sido projecto do Dr. Braga Paixão) onde viriam a ser integrados a Junta de Investigação do Ultramar, os Institutos de Investigação Científica de Angola e de Moçambique, o Centro de Estudos da Guiné, e outras instituições existentes ou a fundar, mas com sede e reitoria em Lisboa. Esta solução não correspondia aos meus desejos nem aos dos meus colegas, e pessoalmente considerei-a insuficiente para o Instituto e sobretudo para as Províncias que entendia exigirem Universidades próprias. Mas aconteceu que esse decreto também felizmente mereceu o vivo ataque do então Reitor da

Universidade de Lisboa, futuro Presidente do Conselho e inimigo persistente do Instituto. Foi um ponto em que estivemos ambos de acordo: não gostávamos do decreto por motivos diferentes. Só que ele convocou o Senado Universitário de Lisboa e conseguiu que este votasse uma moção pedindo que o diploma fosse revogado e o Instituto mantido como Escola de Quadros. Uma folha volante foi generosamente distribuída com essa decisão. O Senado Universitário de Coimbra, o Senado Universitário do Porto, e o Conselho Universitário da Universidade Técnica de Lisboa, chamados a capítulo, votaram pelo contrário que o diploma devia ser substituído por outro, que integrasse o instituto numa Universidade Metropolitana, que foi depois a Universidade Técnica. Foi a única vez em que o futuro Presidente do Conselho conseguiu prestar um serviço ao Instituto. Esta é que era a nossa tese. O facto foi ressentido como uma humilhação imperdoável pelo então Reitor da Universidade de Lisboa que não perdeu ocasião de o demonstrar. Algum tempo depois, sem me dizer uma palavra nem aos meus colegas de redacção, excluiu-me do Conselho de Redacção da Revista *O Direito*. Não se pode dizer que fosse uma demonstração de vocação para a grandeza. Logo que chegou ao Governo, o seu primeiro acto por interposta pessoa foi destruir o Instituto, com o sacrifício brutal dos interesses e carreira de centenas de estudantes. Quando o Supremo Tribunal Administrativo desautorizou o abuso do seu Governo, recusou-se a cumprir o acórdão. Mas a isto me obrigará infelizmente o questionário a voltar mais tarde. Aqui importa-me apenas anotar que me bati pela integração do Instituto na Universidade, assim como o fiz pela integração de todo o ensino superior na disciplina universitária; a minha razão foi sempre a de que o ensino estava ao serviço da Nação, e não de qualquer regime transitório, e que as Escolas de Quadros não conseguem facilmente respeitar esse princípio. É disto que se trata.

9. Acusam-me de ter sido Director do Centro de Estudos Políticos e Sociais da Junta de Investigações do Ultramar que funcionava integrado no nosso Instituto. A minha responsabilidade é maior, porque fui o fundador. O seu objectivo foi dar execução aos propósitos e votos da *Conferência Interafricana das Ciências Humanas,* que se realizou em Bukavu de 23 de Agosto a 3 de Setembro de 1955. Foi lá que me dei conta, pela primeira vez com verdadeiro dramatismo, do atraso português nos domínios da investigação e do ensino em todos os campos das ciências humanas que interessavam ao Ultramar, incluindo a problemática política contemporânea. Esse centro foi um importante instrumento de investigação, e a acusação deve referir--se a qualquer coisa com um nome parecido que existiu noutro lugar. Foram publicados dezenas de volumes, alguns assinados por nomes ainda hoje prestigiosos. Foram ajudados muitos bolseiros sem distinção de convicções políticas. Ali se prepararam alguns futuros Doutores. Foram ensaiados métodos interdisciplinares, seminários, colóquios, mesas redondas. Entre os seus colaboradores lembro Eduardo Mondlane, Domingos Arouca, Francisco Tenreiro, Orlando Ribeiro, Florestan Fernandes,

Alfredo Margarido, Mário Murteira, Jorge Dias, e muitos outros. Dali nasceram o Centro de Estudos Antropológicos, o Centro de Estudos Missionários, o Centro de Estudos Geográficos, a Missão para o Estudo do Rendimento Nacional, etc. Homens como Jorge Dias foi ali que encontraram a única oportunidade da sua vida de se realizarem cientificamente. O acusador, seja quem for, poderá facilmente encontrar defeitos de método e de mérito, mas não qualquer base para o que disse. Tudo isto foi destruído pelo último Presidente do Conselho da Constituição de 1933, quando mandou investir pela segunda vez, no fim do seu Governo, contra o Instituto. Que cientificamente tenha arrasado qualquer coisa de insubstituível, sei que não porque era gente que aprendia a andar pelo método de ir andando. Mas ia andando.

10. Acusam-me ainda de ter sido vogal substituto do Conselho Ultramarino. É verdade, e não mereci mais. É o mais antigo órgão consultivo da Administração Pública Portuguesa, com séculos de existência. Recordo-me, de simples memória, que estão aí pessoas em altas funções que lhe pertenceram. Cito isto para dizer que ele resistiu séculos a várias revoluções e mudanças por estar acima e fora delas. Talvez por isso não o vejo incluído nos órgãos que foram arrolados nas instruções que conheço para o saneamento da função pública.

11. É verdadeira a acusação de que fui Presidente Internacional do CEDI – Centro Europeu de Infor-

mação e Documentação. Diz respeito à minha vida privada, não tem nada que ver com funções oficiais. Fui convidado a cooperar nesse fórum num momento, já muito afastado no tempo, em que a Europa pretendia sair do desespero do fim da guerra, fazendo convergir os seus povos livres para a unidade. O objectivo era divulgar um pensamento que apoiava o projecto europeu da democracia cristã. Deste projecto o grande doutrinador foi Jean Monnet e os obreiros chamaram-se Robert Schuman, Alcide de Gasperi e Konrad Adenauer. Também devem ser lembrados homens como Richard de Coudenhove-Kalergi, Winston Churchill, André Philip, Adriano Olivetti, Gregoire Gafenco, René Pleven, Paul-Henri Spaak, Luigi Einaudi. Não me recordo de nenhum nome português. A busca de uma construção intelectual que permitisse a convergência europeia, acabasse com a tradicional guerra civil, e abrisse caminhos para a integração de Portugal num esquema do mundo ocidental das democracias estabilizadas, também me levou a ter um papel activo na *Société* Pierre Teilhard de Chardin, tendo ajudado a introduzir o seu pensamento de convergência em Portugal. Há livros a documentar isso. Mas acontece que, mesmo que isto mereça a reprovação de alguém, eu pensava, como também o pensava D. Sebastião de Resende, o patriota mal entendido que tanto me influenciou, que o pensamento do Padre Teilhard parecia feito para ajudar a enfrentar a crise que ainda não acabou e que atingiu o nosso País em cheio. Muitas vezes escrevi que o Ocidente foi uma construção inspirada pelo cristianismo, e tenho concluído em cursos e trabalhos, que as divisões actuais, ou desviacionismos, não escondem a presença do Livro básico e original.

Mostraram-me recentemente uma passagem de uma História de Portugal, publicada antes da Revolução de 25 de Abril pelo jovem historiador revolucionário Oliveira Marques, onde este se dá ao trabalho de se ocupar de mim. É muita honra, visto o tema do livro. Chama-me *antigo esquerdista* e explicam-me, intérpretes, que julgo avisados, que no sentido do autor isso significa comunista ou comunizante. Se for assim, devo dizer que não tenho importância suficiente para que o erro deslustre o trabalho, mas desejo, para bem do autor, que tenha fundamentado com maior cuidado as coisas importantes de que se ocupa. Não posso aceitar o romantismo com que, certamente com excelente intenção, pretende enriquecer a minha juventude. No fim da guerra de 1939-1945, tendo eu 21 anos e já terminado o meu curso de Direito, o meu esquerdismo era o das grandes declarações das democracias estabilizadas. Sabíamos distinguir entre a metodologia marxista e o sovietismo. Não tínhamos dúvidas de que o sovietismo era um totalitarismo que não queríamos ver estender-se sobre a Europa. Não esquecêramos que os soviéticos tinham sido os aliados dos nazis. Os homens que escutávamos chamavam-se por exemplo Winston Churchill, George Marshall, Attlee, Madariaga, Ortega, e, entre nós, Azeredo Perdigão, Palma Carlos, Mário de Castro, Domingos Monteiro, Teixeira Ribeiro, Ferrer Correia, Eduardo Correia. Por cima de todos, um mito chamado Rocha Saraiva. Se tive algum amigo comunista era certamente clandestino. De modo que se a experiência, a ambição, a renúncia, a idade, a meditação, o sofrimento, e a felicidade foram para mim, como para todos os homens, condicionamentos que nos obrigaram a evoluir, nunca pensei ou agi conscientemente fora da filosofia social-cristã, aprendida primeiro na minha aldeia, onde mandei reconstruir, bem jovem, a Capela do respectivo padroeiro. Também ali aprendi primeiro o amor à Pátria que não desejei ver diminuída mas que só desejo justa. Foi essa a única razão que me levou a intervir, sem êxito, na crise ultramarina.

12. Falemos por fim da Universidade e da minha acção pedagógica. Não vi nem verei as actas do Conselho Escolar em que *exemplificativamente* se baseia a acusação que me é feita. Não é permitido aos professores entrarem nas Escolas, e não me ocorre pedir o auxílio da força pública. Nos muitos anos em que dirigi o Instituto nunca consenti que a Polícia entrasse naquela casa, e não poderia evidentemente mudar de atitude depois do 25 de Abril. Aos estudantes envolvidos no actual processo de saneamento, julgo que os não conheço. Enquanto dei aulas, conheci todos os meus alunos. Tenho a certeza de que ninguém em Portugal dedicou mais tempo, esforço, sacrifício, e amor à sua Escola do que eu. Também não receio qualquer confronto no campo da cooperação, assistência, participação e ajuda ao Conselho Universitário. Tive idêntica paixão pelo ensino no Instituto Superior Naval de Guerra. Acrescentarei que também não tenho dúvidas de que em nenhuns cursos em Portugal foram versados os problemas da con-

juntura política mundial com maior abertura, liberdade, esforço de autenticidade e actualização do que nos meus cursos de *História das Teorias Políticas,* do ISCSPU, e de *Política Internacional* do Instituto Superior Naval de Guerra. O Ministério da Educação e Cultura tem à sua disposição os sucessivos reitores da Universidade, Moisés Amzalak, Herculano de Carvalho, Fernando Costa, António Maria Godinho, e as Actas a que não tenho acesso, assim como os sucessivos Directores do Instituto Superior Naval de Guerra. Não receio o depoimento dos alunos. Os livros estão publicados. Para este ponto, julgo que chega. Acrescentarei que no meu Instituto foram ensaiados métodos e ensinos que só hoje estão chamando a atenção. Recordo-me, incidentalmente, de que quando introduzimos o ensino do Russo e do Chinês, um pequeno Ministro da Educação achou graça. Ao longo dos anos, não distingui os alunos pelas suas opções ideológicas, distingui-os pelo seu mérito e dediquei-me a todos completamente. Em nenhuma escola foram mais estimulados à livre investigação, à livre discussão, à livre opção.

Fui, porém, sempre defensor intransigente dos seguintes princípios, repetidos em aulas, plenários, colóquios, conversas individuais: *a)* a Escola é o ponto de convergência de todos os que, na mesma época, iniciam e correm a aventura do saber, e da dolorosa necessidade de escolher; *b)* por isso a Escola deve estar acima das divisões ideológicas: nenhum problema lhe é estranho, nenhuma concepção deve ser omitida, todas as alternativas fecundas devem ser exploradas. Mas ali é o aprendizado e a meditação. Lá fora é que é a luta; *c)* os estudantes são uma minoria privilegiada que não tem o direito de delapidar, ou tornar inutilizável, o património posto à sua disposição pela enormíssima maioria que não teve a oportunidade de entrar na Universidade; *d)* a Nação que trabalha tem o direito de exigir a aplicação à Nação que estudo; *e)* os estudantes não devem nunca renunciar a uma opção ideológica a que tenham chegado, sejam quais forem os riscos, mas não devem abandonar as regras da razão na vida universitária, porque a violência é um mal.

A nossa Escola, sempre tão maltratada, exigia atenção e cuidados especiais, porque era frágil, porque não tinha a força do passado que amparava as outras, porque muita gente no aparelho do poder temia as ciência sociais e ansiava por destruí-la. Os estudantes, em gerações sucessivas, entenderam e corresponderam a isto. Infelizmente os factos vieram a demonstrar que o receio tinha fundamento.

Pelo que respeita à democratização da Universidade, creio que o melhor é reproduzir aqui as conclusões do Parecer do Conselho Universitário, do qual fui relator, em Junho de 1971, sobre a Reforma do Ensino Superior, esperando todavia que alguém esteja interessado em ler o todo, já que foi o único a que o último Governo da Constituição de 1933 não deu publicidade. As conclusões são estas, depois de estabelecer que a regra básica da Reforma do Ensino deve ser a democratização:

«*a)* é contrária a tal princípio a separação entre o ensino superior não universitário e o ensino superior universitário;

b) entendemos que a democratização do ensino universitário implica o reconhecimento de que, na sociedade contemporânea, é no mérito do serviço prestado à comunidade, em qualquer domínio, que se baseará a importância das elites: a definição do ensino universitário deve portanto alhear-se de tradicionais preconceitos aristocratizantes e atender apenas às necessidades do bem comum;

c) os propostos Institutos Politécnicos, contrariam tal propósito, visto que perpetuam o sentido aristocratizante do ensino universitário, que se condena. Podem ainda ser encarados como um expediente destinado a resolver aparentemente o problema social criado no passado pelas escolas do ensino médio, sem todavia enfrentarem a essência do problema. Abrangendo alguns aspectos fundamentais do processo de mudança social, impedem que a Universidade se debruce, com a sua ética própria, sobre esses fenómenos. Abrem caminho à perigosa tendência de se transformarem em simples escolas de quadros, ao serviço dos interesses particularistas das entidades públicas ou privadas que os financiem ou dominem. Na sua definição formal não se distinguem da organização prevista para a formação de bacharéis dentro da Universidade. São portanto equívocos;

d) prejudica a estratégia no nosso desenvolvimento ligar aos projectados Institutos Politécnicos, os chamados Institutos de Investigação Tecnológica destinados a cuidar da investigação aplicada e do desenvolvimento experimental. Sabido que, na sociedade contemporânea, a técnica muitas vezes precede a ciência, seria amputar a Universidade não lhe confiar um papel dominante nesta matéria, e seguramente se perderá a oportunidade de um esforço sério nesse domínio;

e) o restrito acolhimento que encontra, nas bases propostas, o problema das ciências sociais, documenta excessivamente os inconvenientes que se notam nos programados Institutos Politécnicos. O Conselho insiste nos projectos que apresentou oportunamente neste domínio, e adverte contra a tendência de não considerar em nível e plano universitário esse e outros desenvolvimentos científicos e profissionais relacionados com os problemas das sociedades em processo de mudança;

f) salienta que a democratização do ensino não é incompatível com a selecção e busca de alta qualidade, antes entende que são objectivos coerentes e cumulativos. A busca dos valores autênticos em todos os estratos sociais deve inspirar as regras de acesso ao ensino superior e à graduação, devendo ter-se em especial consideração os problemas das vocações tardias e na maturidade obtida fora dos quadros regulares do ensino.

«4. Recomenda-se a criação de Universidades privadas. Todavia, tendo em conta os recursos limitados do País, insiste-se na necessidade de observar o seguinte:

a) criar novas Universidades com base nos departamentos, com um *campus* apropriado e uma dimensão funcional;

b) reformar as Universidades existentes, na base da unidade da Escola, mas descentralizando inteiramente os grupos segundo o modelo dos Institutos;

c) admitir as Universidades privadas, inspiradas em qualquer ideologia lícita, mas coordenando o equi-

pamento universitário em plano nacional para evitar duplo emprego e desperdício de recursos;
d) criar as Universidades populares;
e) descentralizar e regionalizar o ensino.
5. Tendo em vista essa descentralização e regionalização, recomenda-se como alternativa útil dos Institutos Politécnicos, que se ressuscite o projecto dos COLÉGIOS PROPEDÊUTICOS e que a estes, assim como a ESCOLAS SUPERIORES, se confie a formação de bacharéis com imediato acesso ou não, conforme as circunstâncias, a uma profissão. De qualquer modo não deve esquecer-se que, na organização portuguesa, a habilitação para o exercício da profissão pertence a órgãos profissionais (ordens e sindicatos) e não à Universidade. Os Colégios Propedêuticos e Escolas Superiores devem ser integrados ou filiados numa Universidade, que tomará a responsabilidade do nível pedagógico e científico.
6. Aos objectivos assinados ao ensino superior, onde avulta o estudo da problemática da Cultura Portuguesa numa perspectiva universalista, deve acrescentar-se a cooperação internacional. Sem ela, ficaríamos excluídos de muitos domínios da investigação fundamental e aplicada.
7. Nos organismos universitários não deverão existir senão Faculdades, Colégios Propedêuticos ou Escolas Superiores, ao nível da coordenação definida na proposta.
8. Pelo que toca aos órgãos do governo das Universidades, recomenda-se que as bases sejam desenvolvidas tendo em conta os seguintes princípios:
a) autonomia de governo;

b) profissionalização da administração;

c) independência do poder disciplinar.

A Universidade não tem nem pretende privilégios perante a lei comum, posição que decorre da democratização do ensino. Deseja porém que do reconhecimento da sua natureza institucional decorra o reconhecimento do direito de eleger os seus órgãos de governo e que estes superintendam numa administração inteiramente profissional.

9. Recomenda-se a integração nacional da investigação científica e tecnológica. Nesse sentido propõe-se a criação de um Conselho Nacional de Investigação Científica, que sucederá ao actual Instituto de Alta Cultura. Nesse Conselho deverão participar as Universidades, as Juntas de investigação existentes, as academias, as corporações que representem interesses científicos, e ainda as actividades privadas, incluindo as económicas, que exerçam um papel no domínio da investigação. Devem evitar-se organismos de investigação muito centralizados e financeiramente poderosos, para não correr o risco de a burocracia dominar a actividade científica. Os organismos da investigação devem ser maleáveis e não se deve permitir que os organismos subsistam para além da tarefa realizada ou do reconhecimento da impossibilidade ou inoportunidade de continuar.

10. O acesso à Universidade deve satisfazer os seguintes objectivos:

a) não desperdiçar valores humanos;

b) assegurar que o recrutamento desses valores não fique dependente da contingência do estrato social de origem;

c) abrir perspectivas às vocações tardias e à maturidade obtida fora do ensino curricular;

d) acender a indicadores permanentes das necessidades sociais de diplomados, evitando o desemprego intelectual;

e) não transigir no domínio da qualidade;

f) deve haver um plano permanente do desenvolvimento das unidades do ensino em função da procura, para que cada unidade não exceda a dimensão útil.

11. Recomenda-se a criação, em cada unidade de ensino superior, de Conselhos de Acção Circum-Escolares, com larga representação de estudantes, com o intuito de ajudar a manter a ligação permanente das escolas com as mudanças sociais, com as aspirações das gerações, e ainda procurando assegurar uma eficaz complementaridade do ensino curricular.»

Quando escrevi isto, já não era Director do meu Instituto. Os motivos constam de um folheto clandestino, editado pelos alunos do ISCSPU, e chamado – *Universidade Portuguesa, História de um Escândalo Político*. Usando a mão serviçal de um seu pequeno ministro, o último Presidente do Conselho da Constituição de 1933 começou logo em 15 de Julho de 1969 a destruição do Instituto que ousara contrariá-lo. O fundamento *dito* foi que ali se ensinavam *coisas* e se publicavam *papéis* ofensivos para o referido Presidente. Aquilo que foi escrito e determinado consta de algumas pequenas obras-primas de prepotência, às quais o Governo deu a maior divulgação. As principais vítimas foram centenas de estudantes, cujo futuro académico e profissional foi destruído. Foi tão clamorosa a injustiça, que o Conselho Escolar e o Conselho Universitário, sempre unânimes, em resoluções sucessivas, protestaram, rejeitaram as decisões governamentais, pediram reparação. Tudo isto foi inútil. Um Professor, o Dr. Narana Coissoró, já reintegrado depois do 25 de Abril, será o melhor informador deste problema. De facto, demitido e vilipendiado, obteve justiça pela votação unânime do Pleno do Supremo Tribunal Administrativo, mas o Governo recusou-se a cumprir. Os estudantes, em Plenários sucessivos, verberaram a conduta do Governo. Este, com o amor ao espectáculo que o seu pequeno ministro professava, cercou o Instituto de forças policiais, com um aparato tão inútil quanto ridículo e desnecessário. Não esquecerei nunca o dia em que, nesse ambiente, me dirigi aos estudantes. As palavras que proferi foram por eles divulgadas em apontamento que é o seguinte:

«Peço desculpa por interromper os trabalhos da vossa Assembleia, mas acontece que tenho de apresentar-me ao Ministério da Educação Nacional, onde me esperam, e não posso atrasar essa obrigação.

Todos os senhores têm conhecimento já do despacho do Ministério da Educação Nacional e da reacção do Conselho Escolar. A decisão do Conselho Escolar foi unânime, estando presentes os professores de todas as categorias, e os poucos membros do corpo docente que não puderam assistir estão a enviar cartas de adesão.

Não sei se esta será a última vez que terei ocasião de me dirigir aos alunos do Instituto e por isso terão a paciência de me escutar mais tempo do que desejaria, e também tenho a esperança de que dispensem às minhas palavras a atenção que me habituei, no passado, a que lhe dispensassem.

Começarei por esclarecer algumas perplexidades que sei terem sido causadas pelas palavras que dirigi aos estudantes dos meus cursos no encerramento das aulas deste ano lectivo. Sei que muitos pensaram que me estava a despedir. Não era assim. Conhecendo o meu País, e não tanto o País mas as pessoas, estava apenas a prever que alguma coisa de grave havia de ser provocada contra o Instituto. Não me regozijo por ter sido lúcido. Mas espero que alguns de entre vós, que, movidos pela devoção ao interesse nacional, adoptaram excessos que todos os professores reprovaram, compreendam agora que era a experiência e o amor por vós que nos levava a aconselhar a não dar nenhum pretexto aos inimigos. Agora também vos aconselho a não reprovar ninguém, porque nas campanhas mesmo mal conduzidas os representados devem cobrir os seus representantes.

O Conselho Escolar não conseguiu poder aceitar nenhum dos fundamentos do despacho do Senhor Ministro da Educação Nacional. Mas como não é presumível que os não tenha, e porque os invocados não são aceitáveis, todos esperamos ansiosamente que nos expliquem os fundamentos reais desta decisão. Entretanto, como a escala do mal é tão extensa como a escala do bem, creio dever adverti-los de que ainda podem ser objecto de decisões mais graves. Para esta provável hipótese quero recordar-lhes que esta Escola foi sempre uma Escola de civismo e que esse civismo implica a capacidade de se manterem íntegros, dignos, respeitadores dos valores, pacientes, e de mostrarem tudo isto com tanta maior firmeza quanto mais gravemente os seus adversários se afastarem do comedimento, da razoabilidade e da justiça. Este é um bom caso para demonstrarem tudo isso, porque estamos em face de uma decisão da qual tem de dizer-se que não respeita a moral tradicional deste País.

Muitas vezes vos expliquei que cada pessoa é um fenómeno que não se repete e que por isso não pode ser frustrada. O Governo não parece ter reparado que de uma só vez frustrou centenas de jovens. Devemos tratar o Governo com benevolência, esperando que repare o mal causado. Com isto não vos aconselho a transigir em nada, nem a abandonar nenhum dos vossos princípios. Antes pelo contrário. Mas aconselho-vos a virtude da paciência, porque sem ela nenhuma grande tarefa pode ser executada. A paciência implica respeito pelas leis, benevolência e muita persistência. É a coisa mais difícil que vos posso aconselhar porque sois portugueses e os portugueses são inexcedíveis para as coisas imediatas mas não muito dotados para as que requerem paciência. Pois este exemplo tem de ser dado.

É possível que um eventual desejo de obstar às consequências gravíssimas da decisão que foi tomada, exija uma vítima propiciatória. Numa administração pública onde a culpa morreu solteira há-de ser fácil encontrar palavras piedosas, mas poucos voluntários para as responsabilidades. Estou à disposição. Não tenho qualquer obstáculo a opor no sentido de assumir todas as responsabilidades e culpas que sejam convenientes para uma solução satisfatória.

Nunca lamentarei sofrer seja o que for para salvaguardar os interesses do Instituto, que são os vossos.

Neste País as autoridades académicas, em que me incluo, são da confiança do Governo. Eu sou funcionário da confiança do Governo e cumprirei os deveres do meu cargo a que jurei fidelidade. Mas a confiança é recíproca e não poderei ter qualquer hesitação, se o momento chegar, em declarar que o Governo não a merece.

Seja o que for que acontecer, nunca lamentarei os anos passados convosco. Nada do que se faz neste mundo se apaga. Tudo se soma. Espero que a vossa contribuição seja uma boa parcela para essa soma. Uma parcela devida a cidadãos e homens livres que não transigem na defesa da dignidade do Homem.

E agora, se me dão licença, vou cumprir as minhas obrigações de funcionário público.»

Este discurso foi proferido em 19 de Julho de 1969. No dia 22, sem qualquer aviso prévio, fui demitido. Nessa noite, depois de ter explicado a situação a centenas de pais de alunos que se reuniram na Aula Magna do Instituto, e vista a ameaça da invasão pela Polícia para obrigar à evacuação das instalações, dirigi-me ao jardim onde os estudantes estavam reunidos, e disse-lhes o seguinte: «Já não sou o Director do Instituto; nunca consenti que aqui entrasse qualquer autoridade policial; sempre lhes pedi que evitassem a violência e dessem o exemplo da coragem e da paciência: peço-lhes que saiam para evitar violências inúteis.»

Retirei-me para a porta do Instituto à espera que deliberassem e votassem, pedindo ao Comandante da Força Policial que lhes desse tempo. Votaram sair. Cada um deles apertou-me a mão. A mesma mão que eu tinha publicamente recusado estender ao último Presidente do Conselho da Constituição de 1933. Em dias sucessivos fui demitido de todas as funções, que eram exclusivamente académicas, com excepção do Conselho da Cruz Vermelha de onde também acharam necessário dispensar-me. Fui logo escolhido pelos meus colegas para uma vaga, a preencher por eleição, para o Conselho Universitário, a qual ocupei até ao dia 25 de Abril de 1974. Das honras que recebi na vida, é a única que costumo citar.

Apresento a V. Ex.ª os melhores cumprimentos.

Adriano Moreira

= ÍNDICE

7	Prefácio
11	Mensagem à Marinha de Guerra
27	Acusações
31	Respostas

ESTE LIVRO FOI COMPOSTO EM CARACTERES BEMBO
E IMPRESSO EM PAPEL CORAL BOOK IVORY 100GR.
NA GRÁFICA DE COIMBRA
EM NOVEMBRO
DE 2009
=